KB212505

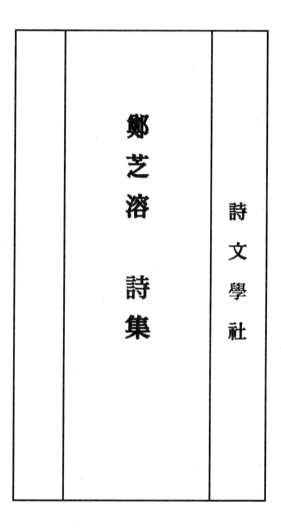

鄭芝溶 詩集

詩文學社

시인 정지용

1902년 충북 옥천군 옥천읍 하계리에서 태어났다.

1922년 고교생 때 첫 작품 풍랑몽을 발표하며 데뷔했다. 시문학, 구인회 등의 문학 동인과 가톨릭 청년, 문장 등의 편집위원으로 활동하고 휘문고보 교원을 거쳐 해방 후에는 이화여전교수, 경향신문주간, 조선문학가동맹 중앙집행위원 등을 역임하였다.

1950년 한국전쟁시 납북되어 사망했다고 알려졌으나, 전쟁으로 인해 폭사했다는 주장도 제기되었다. 아직까지 정확한 행적은 알려지지 않았다. 시집으로 정지용시집, 백록담, 지용시선. 산문집으로는 문학독본, 산문이 있다.

정지용 시집 : 초판 평역본

초판 발행 2016년 5월 7일

디자인 김PD

펴낸이 이일로

펴낸곳 도서출판 라이프하우스

등록일 2009년 2월 24일

대표 전화 0505)369-3877 / 팩스 02)6442-3877

출판사 블로그 http://blog.naver.com/windpaper

가격 4,900원

ISBN 979-11-87271-03-1   03810

차 례

이 도서의 국립중앙도서관 출판예정도서목록(CIP)은 서지정보유통지원시스템 홈페이지(http://seoji.nl.go.kr)와 국가자료공동목록시스템(http://www.nl.go.kr/kolisnet)에서 이용하실 수 있습니다. (CIP제어번호 : CIP2016008579)

1

바다 1

고래가 이제 횡단한 뒤
해협이 천막처럼 퍼덕이오.

……흰물결 피어오르는 아래로 바둑돌 자꼬 자꼬 나
려가고,

은방울 날리듯 떠오르는 바다종달새……

한나절 노려보오 훔쳐잡어 고 빨간 살 뺏으려고.

*

미역 잎새 향기한 바위 틈에
진달래 꽃빛 조개가 햇살 쪼이고,
청제비 제 날개에 미끄러져 도—네
유리판 같은 하늘에.
바다는—속속 들이 보이오.

청댓잎처럼 푸른
바다
봄
*

꽃봉오리 줄등 켜 듯 한
조그만 산으로─하고 있을까요.

솔나무 대나무
다옥한 수플로─하고 있을까요.

노랑 검정 알롱 달롱한
블랑키트 두르고 쪼그린 호랑이로─하고 있을까요.

당신은 「이러한 풍경」을 데불고
흰 연기 같은
바다
멀리 멀리 항해합쇼.

시문학, 1930.5.

바다 2

바다는 뿔뿔이
달어나려고 했다.

푸른 도마뱀 떼같이
재재 발렀다.

꼬리가 이루
잡히지 않었다.

흰 발톱에 찢긴
산호보다 붉고 슬픈 생채기 !

가까스로 몰아다 붙이고
변죽을 둘러 손질하여 물기를 씻었다.

이 애쓴 해도海圖에
손을 씻고 떼었다.

찰찰 넘치도록
돌돌 구르도록

희동그라니 받쳐 들었다!
지구는 연잎인양 오므라들고……펴고……

비로봉毘盧峰

백화 수풀 앙당한 속에
계절이 쪼그리고 있다.

이곳은 육체 없는 요적寥寂한 향연장
이마에 스며드는 향료로운 자양慈養!

해발 오천 피트 권운층 위에
그싯는 성냥불!

동해는 푸른 삽화처럼 움직 않고
누뤼 알이 참벌처럼 옮겨 간다.

연정은 그림자마저 벗자
산드랗게 얼어라! 귀뚜라미처럼.

가톨릭청년, 1933.6.

홍역紅疫

석탄 속에서 피어나오는
태고연太古然히 아름다운 불을 둘러
십이월 밤이 고요히 물러앉다.

유리도 빛나지 않고
창장窓帳도 깊이 나리운 대로ー
문에 열쇠가 끼인 대로ー

눈보라는 꿀벌 떼처럼
잉잉거리고 설레는데,
어느 마을에서는 홍역이 척촉躑躅처럼 난만하다.

가톨릭청년, 1935.3.

척촉 : 철쭉

비극悲劇

「비극」의 흰 얼굴을 본 적이 있느냐?

그 손님의 얼굴은 실로 미美하니라.

검은 옷에 가리워 오는 이 고귀한 심방尋訪에 사람들은 부질없이 당황한다.

실상 그가 남기고 간 자취가 얼마나 향그럽기에

오랜 후일에야 평화와 슬픔과 사랑의 선물을 두고 간 줄을 알았다.

그의 발 옮김이 또한 표범의 뒤를 따르듯 조심스럽기에

가리어 듣는 귀가 오직 그의 노크를 안다.

묵墨이 말라 시가 써지지 아니하는 이 밤에도

나는 맞이할 예비가 있다.

일찍이 나의 딸 하나와 아들 하나를 드린 일이 있기에

혹은 이 밤에 그가 예의를 갖추지 않고 올 양이면

문밖에서 가벼이 사양하겠다!

가톨릭청년, 1935.3.

시계時計를 죽임

한밤의 벽시계는 불길한 탁목조啄木鳥!
나의 뇌수를 미싱 바늘처럼 쪼다.

일어나 쫑알거리는 '시간'을 비틀어 죽이다.
잔인한 손아귀에 감기는 가냘픈 모가지여!

오늘은 열 시간 일하였노라.
피로한 이지理智는 그대로 치차齒車를 돌리다.

나의 생활은 일절 분노를 잊었노라.
유리 안에 설레는 검은 곰인 양 하품하다.

꿈과 같은 이야기는 꿈에도 아니 하련다.
필요하다면 눈물도 제조할 뿐!

어쨌든 정각에 꼭 수면하는 것이
고상한 무표정이오 한 취미로 하노라!

명일明日! (일자日字가 아니어도 좋은 영원한 혼
례!)
소리 없이 옮겨가는 나의 백금 제플린Zeppelin의
유유한 야간 항로여!

가톨릭청년, 1933.10.

치자 : 톱니바퀴

아침

프로펠러 소리……
선연한 커-브를 돌아나갔다.

쾌청! 짙푸른 유월 도시는 한 층계 더 자랐다.

나는 어깨를 고르다.
하품……목을 뽑다.
붉은 수탉 모양 하고
피어오르는 분수를 물었다……뿜었다……
햇살이 함빡 백공작의 꼬리를 폈다.

수련이 화판花瓣을 폈다
오므라졌던 잎새. 잎새. 잎새.
방울방울 수은에 바쳤다.
아아 유방처럼 솟아오른 수면!
바람이 구르고 거위가 미끄러지고 하늘이 돈다.

좋은 아침-
나는 탐하듯이 호흡하다.
때는 구김살 없는 흰돛을 달다.

조선지광, 1930.8.

바람

바람 속에 장미가 숨고
바람 속에 불이 깃들다.

바람에 별과 바다가 씻기우고
푸른 묏부리와 나래가 솟다.

바람은 음악의 호수
바람은 좋은 알리움!

오롯한 사랑과 진리가 바람에 옥좌를 고이고
커다란 하나와 영원히 펴고 날다.

동방평론, 1932.4.

묏부리 : 멧부리의 방언으로 산봉우리
나래 : 날개

유리창 1

유리에 차고 슬픈 것이 어른거린다.
열없이 붙어 서서 입김을 흐리우니
길들은 양 언 날개를 파닥거린다.
지우고 보고 지우고 보아도
새까만 밤이 밀려나가고 밀려와 부딪히고,
물먹은 별이, 반짝, 보석처럼 박힌다.
밤에 홀로 유리를 닦는 것은
외로운 황홀한 심사이어니,
고운 폐혈관이 찢어진 채로
아아, 너는 산새처럼 날러 갔구나!

조선지광, 1930.1.

유리창 2

내어다보니
아주 캄캄한 밤,
어험스런 뜰 앞 잣나무가 자꾸 커 올라간다.
돌아서서 자리로 갔다.
나는 목이 마르다.
또, 가까이 가
유리를 입으로 쪼다.
아아, 항 안에 든 금붕어처럼 갑갑하다.
별도 없다, 물도 없다. 휘파람 부는 밤.
소증기선처럼 흔들리는 창.
투명한 보랏빛 누뤼알아,
이 알몸을 끄집어내라, 때려라, 부릇내라.
나는 열이 오른다.
뺨은 차라리 연정스레이
유리에 부빈다. 차디찬 입맞춤을 마신다.
쓰라리, 알연히, 그싯는 음향—
머언 꽃!
도회에는 고운 화재가 오른다.

신생, 1931.1.

어험스런 : 짐짓 위엄있어 보이게 / 누뤼 : 누리. 우박.

난초蘭草

난초잎은
차라리 수묵색.

난초잎에
엷은 안개와 꿈이 오다.

난초잎은
한밤에 여는 다문 입술이 있다.

난초잎은
별빛에 눈떴다 돌아눕다.

난초잎은
드러난 팔굽이를 어쩌지 못한다.

난초잎에
적은 바람이 오다.

난초잎은
춥다.

신생, 1932.1.

촛불과 손

고요히 그싯는 솜씨로
방 안 하나 차는 불빛!

별안간 꽃다발에 안긴듯이
올빼미처럼 일어나 큰 눈을 뜨다.

*

그대의 붉은 손이
바위틈에 물을 따오다,
산양의 젖을 옮기다,
간소한 채소를 기르다,
오묘한 가지에
장미가 피듯이
그대 손에 초밤불이 낳도다.

신여성, 1931.11.

그싯는 : 성냥에 불을 부칠 때처럼 평평한 곳에 대고 힘을 줄 때
초밤불 : 초저녁 불빛

해협 海峽

포탄으로 뚫은 듯 동그란 선창으로
눈썹까지 부풀어 오른 수평이 엿보고,

하늘이 함폭 나려앉어
크낙한 암탉처럼 품고 있다.

투명한 어족魚族이 행렬하는 위치에
홋하게 차지한 나의 자리여!

망토 깃에 솟은 귀는 소라 속 같이
소란한 무인도의 각적角笛을 불고 –

해협 오전 두시의 고독은 오롯한 원광圓光을 쓰다.
서러울리 없는 눈물을 소녀처럼 짓쟈.

나의 청춘은 나의 조국!
다음날 항구의 개인 날씨여!

항해는 정히 연애처럼 비등하고
이제 어드메쯤 한밤의 태양이 피여오른다.

가톨릭청년, 1933.6.

다시 해협海峽

정오 가까운 해협은
백묵 흔적이 적력的歷한 원주圓周!

마스트 끝에 붉은 기가 하늘보다 곱다.
감람甘藍 포기 포기 솟아오르듯 무성한 물이랑이
여!

반마班馬같이 해구海狗같이 어여쁜 섬들이 달려오
건만
일일이 만져주지 않고 지나가다.

해협이 물거을 쓰러지듯 휘뚝 하였다.
해협은 엎질러지지 않았다.

지구 위로 기어가는 것이
이다지도 호수운 것이냐!

외진곳 지날 제 기적은 무서워서 운다.
당나귀처럼 처량하구나.

해협의 칠월 햇살은
달빛보담 시원타.

화통 옆 사닥다리에 나란히
제주도 사투리하는 이와 아주 친했다.

스물한 살 적 첫 항로에
연애보담 담배를 먼저 배웠다.

조선문단, 1935.8.

지도地圖

지리교실전용지도는

다시 돌아와 보는 미려한 칠월의 정원.

천도千島열도 부근 가장 짙푸른 곳은 진실한 바다보다 깊다.

한가운데 검푸른 점으로 뛰어들기가 얼마나 황홀한 해학이냐!

의자 위에서 다이빙 자세를 취할 수 있는 순간,

교원실의 칠월은 진실한 바다보다 적막하다.

조선문단, 1935,8.

24

귀로歸路

포도鋪道로 나리는 밤안개에
어깨가 적이 무거웁다.

이마에 촉燭하는 쌍그란 계절의 입술
거리에 등불이 함폭! 눈물겹구나.

제비도 가고 장미도 숨고
마음은 안으로 상장喪章을 차다.

걸음은 절로 디딜 데 디디는 삼십적 분별
영탄咏嘆도 아닌 불길한 그림자가 길게 누이다.

밤이면 으레 홀로 돌아오는
붉은 술도 부르지 않는 적막한 습관이여!

가톨릭청년, 1933,10.

11

오월소식五月消息

오동나무 꽃으로 불 밝힌 이곳 첫여름이 그립지 아
니한가?
어린 나그네 꿈이 시시로 파랑새가 되어 오려니.
나무 밑으로 가나 책상 턱에 이마를 고일 때나,
네가 남기고 간 기억만이 소근소근거리는구나.

모초롬만에 날러온 소식에 반가운 마음이 울렁거리
여
가여운 글자마다 먼 황해가 남실거리나니.

⋯⋯나는 갈매기 같은 종선을 한창 치달리고 있
다⋯⋯

쾌활한 오월 넥타이가 내처 난데없는 순풍이 되어.
하늘과 딱 닿은 푸른 물결 위에 솟은,
외딴 섬 로맨틱을 찾어갈까나.

일본말과 아라비아 글씨를 가르치러 간

쬐그만 이 페스탈로치야, 꾀꼬리 같은 선생님이야,

날마다 밤마다 섬 둘레가 근심스런 풍랑에 씹히는

가 하노니,

은은히 밀려오는 듯 머얼리 우는 오르간 소리……

조선지광, 1927.6.

이른 봄 아침

귀에 설은 새소리가 새어들어와
참한 은시계로 자근자근 얻어맞은 듯,
마음이 이일 저일 보살핀 일로 갈라져,
수은방울처럼 동글동글 나동그라져,
춥기는 하고 진정 일어나기 싫어라.

*

쥐나 한마리 훔쳐잡을 듯이
미닫이를 살포—시 열고 보노니
사루마다 바람으론 오호 ! 추워라.

마른 새삼 넝쿨 사이사이로
빠알간 산새새끼가 물레 북 드나들 듯.

*

새 새끼와도 언어 수작을 능히 할까 싶어라.
날카롭고도 보드라운 마음씨가 파닥거리어.
새 새끼와 내가 하는 에스페란토는 휘파람이라.
새 새끼야, 한종일 날아가지 말고 울어나 다오,
오늘 아침에는 나이 어린 코끼리처럼 외로워라.

*

산봉오리―저쪽으로 돌린 프로필―
패랭이꽃 빛으로 볼그레 하다,
씩 씩 뽑아 올라간, 밋밋하게
깎아 세운 대리석 기둥인 듯,
간덩이 같은 해가 이글거리는
아침 하늘을 일심으로 떠받치고 섰다.
봄바람이 허리띠처럼 휘이 감돌아 서서
사알랑 사알랑 날아오노니,
새 새끼도 포르르 포르르 불려 왔구나.

신민,1927.2.

사루마다 : 팬츠

압천 鴨川

압천 십 리 벌에
해는 저물어……저물어……

날이 날마다 님 보내기
목이 잦았다…… 여을 물소리……

찬 모래알 쥐어짜는 찬 사람의 마음,
쥐어짜라. 바수어라. 시원치도 않어라.

여뀌풀 우거진 보금자리
뜸부기 홀어멈 울음 울고,

제비 한 쌍 떳다,
비맞이 춤을 추어,

수박 냄새 품어오는 저녁 물바람,
오렌지 껍질 씹는 젊은 나그네의 시름.

압천 십 리 벌에
해가 저물어…… 저물어……

학조, 1927.6.

석류 石榴

장미꽃처럼 곱게 피어 가는 화로에 숯불,
입춘 때 밤은 마른 풀 사르는 냄새가 난다.

한 겨울 지난 석류 열매를 쪼개
홍보석 같은 알을 한 알 두 알 맛 보노니,

투명한 옛 생각, 새로운 시름의 무지개여,
금붕어처럼 어린 녀릿녀릿한 느낌이여.

이 열매는 지난 해 시월상달, 우리 둘의
조그마한 이야기가 비롯될 때 익은 것이어니.

작은 아씨야, 가녀린 동무야, 남몰래 깃들인
네 가슴에 졸음 조는 옥토끼가 한 쌍.

옛 못 속에 헤엄치는 흰 고기의 손가락, 손가락,
외롭게 가볍게 스스로 떠는 은銀실, 은銀실.

아아 석류알을 알알이 비추어 보며
신라 천년의 푸른 하늘을 꿈꾸노니.

조선지광, 1927.3.

발열 發熱

처마 끝에 서린 연기 따러
포도葡萄순이 기어나가는 밤, 소리 없이,
가물은 땅에 스며든 더운 김이
등에 서리나니, 훈훈히,
아아, 이 애 몸이 또 달아오르노라.
가쁜 숨결을 드내 쉬노니, 박나비처럼,
가녀린 머리, 주사 찍은 자리에, 입술을 붙이고
나는 중얼거리다, 나는 중얼거리다,
부끄러운 줄도 모르는 다신교도와도 같이.
아아, 이 애가 애자지게 보채노나!
불도 약도 달도 없는 밤,
아득한 하늘에는
별들이 참벌 날 듯 하여라.

조선지광, 1927.7.

향수鄕愁

넓은 벌 동쪽 끝으로
옛 이야기 지즐대는 실개천이 휘돌아 나가고,
얼룩백이 황소가
해설피 금빛 게으른 울음을 우는 곳,

－그곳이 차마 꿈엔들 잊힐리야.

질화로에 재가 식어지면
빈 밭에 밤바람 소리 말을 달리고,
엷은 조름에 겨운 늙으신 아버지가
짚베개를 돋아 고이시는 곳,

－그곳이 차마 꿈엔들 잊힐리야.

흙에서 자란 내 마음
파아란 하늘빛이 그리워
함부로 쏜 화살을 찾으러

풀숲 이슬 함추름 휘적시던 곳,

─그곳이 차마 꿈엔들 잊힐리야.

전설 바다에 춤추는 밤물결 같은
검은 귀밑머리 날리는 어린 누이와
아무렇지도 않고 예쁠 것도 없는
사철 발 벗은 아내가
따가운 햇살을 등에 지고 이삭 줍던 곳,

─그곳이 차마 꿈엔들 잊힐리야.

하늘에는 성근 별
알 수도 없는 모래성으로 발을 옮기고,
서리 까마귀 우지짖고 지나가는 초라한 지붕,
흐릿한 불빛에 돌아 앉어 도란 도란거리는 곳,

─그곳이 차마 꿈엔들 잊힐리야.

조선지광, 1927.3.

갑판 위

나직한 하늘은 백금빛으로 빛나고

물결은 유리판처럼 부서지며 끓어오른다.

동글동글 굴러오는 짠 바람에 뺨마다 고운 피가 고
이고

배는 화려한 짐승처럼 짖으며 달려나간다.

문득 앞을 가리는 검은 해적 같은 외딴섬이

흩어져 날으는 갈매기떼 날개 뒤로 문짓 문짓 물러
나가고,

어디로 돌아다보든지 하이얀 큰 팔굽이에 안기어

지구덩이가 동그랗다는 것이 길겁구나.

넥타이는 시원스럽게 날리고 서로 기대선 어깨에 유
월 별이 스며들고

한없이 나가는 눈길은 수평선 저쪽까지 깃폭처럼 퍼
덕인다.

*

바다 바람이 그대 머리에 아른대는구료,
그대 머리는 슬픈 듯 하늘거리고.

바다 바람이 그대 치마폭에 니치대는구료,
그대 치마는 부끄러운듯 나부끼고.

그대는 바람 보고 꾸짖는구료.

*

별안간 뛰여들삼어도 설마 죽을라구요
바나나 껍질로 바다를 놀려대노니,

젊은 마음 꼬이는 굽이도는 물굽이
둘이 함께 굽어보며 가볍게 웃노니

문예시대, 1927.1.

태극선

이 아이는 고무볼을 따러
흰 산양이 서로 부르는 푸른 잔디 위로 달리는지도
모른다.

이 아이는 범나비 뒤를 그리여
소스라치게 위태한 절벽 가를 내닫는지도 모른다.

이 아이는 내처 날개가 돋쳐
꽃잠자리 제자를 슨 하늘로 도는지도 모른다.

    (이 아이가 내 무릎 위에 누운 것이 아니라)

새와 꽃, 인형, 남병정 기관차들을 거느리고
모래밭과 바다, 달과 별 사이로
다리 긴 왕자처럼 다니는 것이려니,

    (나도 일찍이, 저물도록 흐르는 강가에

이 아이를 뜻도 아니한 시름에 겨워
플피리만 찢은 일이 있다)

이 아이의 비단결 숨소리를 보라.
이 아이의 씩씩하고도 보드라운 모습을 보라.
이 아이 입술에 깃든 박꽃 웃음을 보라.

   (나는, 쌀, 돈 셈, 지붕 샐 것이 문득 마음 키인다)

반딧불 하릿하게 날고
지렁이 기름불만치 우는 밤,
모여드는 훗훗한 바람에
슬프지도 않은 태극선 자루가 나부끼다.

조선지광, 1927.8.

카페 프란스

옮겨다 심은 종려나무 밑에
비뚜로 선 장명등,
카페 프란스에 가자.

이놈은 루바쉬카
또 한 놈은 보헤미안 넥타이
뻐적 마른 놈이 앞장을 섰다.

밤비는 뱀눈처럼 가는데
페이브먼트에 흐느끼는 불빛
카페 프란스에 가자.

이 놈의 머리는 비뚜른 능금
또 한 놈의 심장은 벌레 먹은 장미
제비처럼 젖은 놈이 뛰어간다.

*

" 오오 패롯 서방! 굿 이브닝!"

"굿 이브닝!"(이 친구 어떠하시오?)

울금향 아가씨는 이 밤에도
경사更紗커ー튼 밑에서 조시는구료!

나는 자작子爵의 아들도 아무 것도 아니란다.
남달리 손이 희어서 슬프구나!

나는 나라도 집도 없단다.
대리석 테이블에 닿는 내 뺨이 슬프구나!

오오, 이국종異國種 강아지야
내 발을 빨어다오.
내 발을 빨어다오.

학조, 1926.6.

장명등長明燈: 대문 밖이나 처마 밑에 달아놓은 등
울금향 : 튤립 / 패롯 : parrot, 앵무새 / 자작 : 귀한 가문의 귀족

슬픈 인상화

수박 냄새 품어오는
첫 여름의 저녁 때……

먼 해안 쪽
길 옆 나무에 늘어선
전등. 전등.
헤엄쳐 나온 듯이 깜박거리고 빛나노나.

침울하게 울려오는
축항築港의 기적 소리…… 기적 소리……
이국정조異國情調로 퍼덕이는
세관의 깃발. 깃발.

시멘트 깐 인도 측으로 사뭇사뭇 옮기는
하이얀 양장의 점경點景 !

그는 흘러가는 실심失心한 풍경이어니..
부질없이 오렌지 껍질 씹는 시름……

아아, 에시리 황 愛施利 黃
그대는 상해로 가는구료……

학조, 1926.6.

실심 : 마음이 산람함

조약돌

조약돌 도글도글……
그는 나의 혼의 조각이러뇨.

앓는 피에로 설움과
첫길에 고달픈
청靑제비 푸념 겨운 지즐댐과,
꼬집어 아직 붉어오르는
피에 맺혀,
비 날리는 이국 거리를
탄식하며 헤매노라.

조약돌 도글도글……
그는 나의 혼의 조각이러뇨.

동방평론, 1932.7.

피리

자네는 인어를 잡아
아씨를 삼을 수 있나?

달이 이리 창백한 밤엔
따뜻한 바다속에 여행도 하려니.

자네는 유리같은 유령이 되어
뼈만 앙상하게 보일 수 있나?

달이 이리 창백한 밤엔
풍선을 잡아타고
화분花粉 날리는 하늘로 둥 둥 떠오르기도 하려니.

아무도 없는 나무 그늘 속에서
피리와 단둘이 이야기하노니.

시문학, 1930.5.

따알리아Dahilia

가을 볕 째앵하게
내려쪼이는 잔디밭.

함빡 피어난 따알리아.
한낮에 함빡 핀 따알리아.

시약시야, 네 살빛도
익을 대로 익었구나.

젖가슴과 부끄럼성이
익을 대로 익었구나.

시약시야, 순하디 순하여 다오.
암사슴처럼 뛰어다녀 보아라.

물오리 떠돌아다니는
흰 못물 같은 하늘 밑에,

함빡 피어난 따알리아.
피다 못해 터져 나오는 따알리아.

따알리아 : 국화과 여러해살이풀   신민, 1926.11.

홍춘紅椿

춘椿나무 꽃 피 뱉은 듯 붉게 타고
더딘 봄날 반은 기울어
물방아 시름없이 돌아간다.

어린아이들 제춤에 뜻없는 노래를 부르고
솜병아리 양지쪽에 모이를 가리고 있다.

아지랑이 졸음 조는 마을 길에 고달퍼
아름아름 알어질 일도 몰라서
여윈 볼만 만지고 돌아오노니.

신민, 1926, 11.

춘나무 : 참죽나무

저녁 햇살

불 피어오르듯 하는 술
한숨에 키어도 아아 배고파라.

수줍은 듯 놓인 유리컵
바작바작 씹는 대로 배고프리.

네 눈은 고만高慢스런 흑단초.
네 입술은 서운한 가을철 수박 한 점.

빨아도 빨아도 배고프리.

술집 창문에 붉은 저녁 햇살
연연하게 탄다, 아아 배고파라.

시문학, 1930.5.

뻣나무 열매

윗 입술에 그 뻣나무 열매가 다 나았니?
그래 그 뻣나무 열매가 지운 듯 스러졌니?
그끄제 밤에 네가 참벌처럼 잉잉거리고 간 뒤로—
불빛은 송홧가루 뿌린 듯 무리를 둘러쓰고
문풍지에 어렴풋이 얼음 풀린 먼 여울이 떠는구나.
바람세는 연사흘 두고 유달리도 미끄러워
한창 때 삭신이 덧나기도 쉽단다.
외로운 섬 강화도로 떠날 임시 해서—
윗 입술에 그 뻣나무 열매가 안 나아서 쓰겠니?
그래 그 뻣나무 열매를 그대로 달고 가려니?

조선지광, 1927.5.

뻣나무 : 벗나무

엽서에 쓴 글

나비가 한 마리 날아들어 온 양하고
이 종잇장에 불빛을 돌려대 보시압.
제대로 한동안 파닥거리오리다.
─대수롭지도 않은 산목숨과도 같이.
그러나 당신의 열적은 오라범 하나가
먼데 가까운데 가운데 불을 헤이며 헤이며
찬 비에 함추름 휘적시고 왔오.
─서럼지도 않은 이야기와도 같이.
누나, 검은 이 밤이 다 희도록
참한 뮤─쓰처럼 주무시압.
해발 이천 피이트 산봉우리 위에서
이제 바람이 나려옵니다.

조선지광, 1927.5.

뮤─쓰 : 뮤즈

선취 船醉

배 난간에 기대 서서 휘파람을 날리나니
새까만 등솔기에 팔월 햇살이 따가워라.

금단추 다섯 개 단 자랑스러움, 내처 시달픔.
아리랑 조라도 찾아볼까, 그 전날 부르던,

아리랑 조 그도 저도 다 잊었습네, 인제는 벌써,
금단추 다섯 개를 비우고 가자, 파아란 바다 위에.

담배도 못 피우는, 수탉 같은 머언 사랑을
홀로 피우며 가노니, 늬긋늬긋 흔들흔들리면서.

학조, 1927.6.

봄

외까마귀 울며 난 아래로
허울한 돌기둥 넷이 서고,
이끼 흔적 푸르른데
황혼이 붉게 물들다.

거북 등 솟아오른 다리
길기도 한 다리,
바람이 수면에 옮기니
휘이 비껴 쓸리다.

동방평론, 1932.4.

슬픈 기차

우리들의 기차는 아지랑이 남실거리는 섬나라 봄날
온 하루를 익살스런 마도로스 파이프로 피우며 간 단
다.
우리들의 기차는 느으릿 느으릿 유월 소 걸어가듯
걸어 간 단 다.

우리들의 기차는 노오란 배추꽃 비탈밭 새로
헐레벌떡거리며 지나 간 단 다.

나는 언제든지 슬프기는 슬프나마 마음만은 가벼워
나는 차창에 기댄 대로 휘파람이나 날리자.

먼 데 산이 군마처럼 뛰어오고 가까운 데 수풀이 바
람처럼 불려가고
유리판을 펼친 듯, 뇌호내해 퍼언한 물. 물. 물. 물.
손가락을 담그면 포도빛이 들으렷다.

입술에 적시면 탄산수처럼 끓으렷다.

복스런 돛폭에 바람을 안고 뭇배가 팽이처럼 밀려
가 다 간,

나비가 되어 날아간다.

나는 차창에 기댄 대로 옥토끼처럼 고마운 잠이나
들자.

청靑 망토 깃자락에 마담 R의 고달픈 뺨이 불그레
피었다, 고운 석탄불처럼 이글거린다.

당치도 않은 어린아이 잠재기 노래를 부르심은 무
슨 뜻이뇨?

　　　잠들어라.

　　　가엾은 내 아들아.

　　　잠들어라.

나는 아들이 아닌 것을, 윗수염 자리 잡혀가는, 어린
아들이 벌써 아닌 것을.

나는 유리 쪽에 갑갑한 입김을 비추어 내가 제일 좋
아하는 이름이나 그시며 가 자.

나는 느긋느긋한 가슴을 밀감 쪽으로나 씻어내리
자.

대수풀 울타리마다 요염한 관능과 같은 홍춘紅椿이
피맺혀 있다.
마당마다 솜병아리 털이 폭신폭신하고,
지붕마다 연기도 아니 뵈는 햇볕이 타고 있다.
오오, 갠 날씨야, 사랑과 같은 어질머리야, 어질
머리야.

청 망토 깃자락에 마담 R의 가엾은 입술이 여태껏
떨고 있다.
누나다운 입술을 오늘이야 실컷 절하며 갚노라.
나는 언제든지 슬프기는 슬프나마,
오오, 나는 차보다 더 날아가려지는 아니하련다.

조선지광, 1927. 5.

뇌호내해 : 세토나이카이, 일본 규슈 바다

황마차幌馬車

이제 마악 돌아나가는 곳은 시계집 모퉁이, 낮에는 처마 끝에 달아맨 종달새란 놈이 도회 바람에 나이를 먹어 조금 연기 끼인 듯한 소리로 사람 흘러내려 가는 쪽으로 그저 지즐지즐거립데다.

그 고달픈 듯이 깜박깜박 졸고 있는 모양이—가엾은 잠의 한점이랄지요—부칠 데 없는 내 맘에 떠오릅니다. 쓰다듬어주고 싶은, 쓰다듬을 받고 싶은 마음이올시다. 가엾은 내 그림자는 검은 상복처럼 지향 없이 흘러내려 갑니다. 촉촉이 젖은 리본 떨어진 낭만풍의 모자 밑에는 금붕어의 분류奔流와 같은 밤 경치가 흘러내려 갑니다. 길옆에 늘어선 어린 은행나무들은 이국 척후병의 걸음새로 조용조용히 흘러내려 갑니다.

슬픈 은안경이 흐릿하게
밤비는 옆으로 무지개를 그린다.

이따금 지나가는 늦은 전차가 끼이익 돌아나가는 소

리에 내 조고만 혼이 놀란 듯이 파닥거리나이다. 가고 싶어 따뜻한 화롯가를 찾아가고 싶어. 좋아하는 코- 란경을 읽으면서 남경南京콩이나 까먹고 싶어, 그러 나 나는 찾아 돌아갈 데가 있을라구요?

네거리 모퉁이에 씩씩 뽑아 올라간 붉은 벽돌집 탑 에서는 거만스런 ⅩⅡ시가 피뢰침에게 위엄있는 손가 락을 치어들었소. 이제야 내 모가지가 쫄빽 떨어질 듯 도 하구려. 솔잎새 같은 모양새를 하고 걸어가는 나를 높다란 데서 굽어보는 것은 아주 재미있을 게지요. 마 음 놓고 술술 소변이라도 볼까요. 헬멧 쓴 야경 순사 가 필름처럼 쫓아오겠지요!

네거리 모퉁이 붉은 담벼락이 흠씩 젖었소. 슬픈 도 회의 뺨이 젖었소. 마음은 열없이 사랑의 낙서를 하고 있소. 홀로 글썽글썽 눈물짓고 있는 것은 가엾은 소- 냐의 신세를 비추는 빨간 전등의 눈알이외다. 우리들 의 그 전날 밤은 이다지도 슬픈지요. 이다지도 외로운 지요. 그러면 여기서 두 손을 가슴에 여미고 당신을 기 다리고 있으리까?

길이 아주 질어 터져서 뱀 눈알 같은 것이 반짝반짝 어리고 있소. 구두가 어찌나 크던동 걸어가면서 졸님 이 오십니다. 진흙에 착 붙어버릴 듯 하오. 철없이 그리워 동그스레한 당신의 어깨가 그리워. 거기에 내 머리를 대면 언제든지 머언 따듯한 바다 울음이 들려오더니……

……아아, 아무리 기다려도 못 오실 이를……

기다려도 못 오실 이 때문에 졸린 마음은 황마차를 부르노니, 휘파람처럼 불려 오는 황마차를 부르노니, 은으로 만든 슬픔을 실은 원앙새 털 깐 황마차, 꼬옥 당신처럼 참한 황마차, 찰 찰찰 황마차를 기다리노니.

조선지광, 1927.6.

새빨간 기관차

느으릿 느으릿 한눈 파는 겨를에
사랑이 수이 알아질까 싶구나.
어린아이야, 달려가자.
두 뺨에 피어오른 어여쁜 불이
일즉 꺼져버리면 어찌하자니?
줄달음질쳐 가자.
바람은 휘잉. 휘잉.
망토 자락에 몸이 떠오를 듯.
눈보라는 플. 플.
붕어 새끼 꾀어내는 모이 같다.
어린아이야, 아무것도 모르는
새빨간 기관차처럼 달려가자!

조선지광, 1927.2.

밤

눈 머금은 구름 새로
흰 달이 흐르고,

처마에 서린 탱자나무가 흐르고,

외로운 촛불이, 물새의 보금자리가 흐르고……

표범 껍질에 호젓하니 싸여
나는 이 밤, 「적막한 홍수」를 누워 건너다.

신생, 1932.1.

호수 1

얼굴 하나야
손바닥 둘로
폭 가리지만,

보고 싶은 마음
호수만 하니
눈 감을 밖에.

시문학, 1930.5.

호수 2

오리 모가지는
호수를 감는다.

오리 모가지는
자꼬 간지러워.

시문학, 1930.5.

호면湖面

손바닥을 울리는 소리
곱다랗게 건너간다.

그 뒤로 흰 거위가 미끄러진다.

조선지광, 1927.2.

겨울

빗방울 나리다 누뤼알로 굴러
한밤 중 잉크빛 바다를 건너다.

조선지광, 1930.1.

달

선뜻! 뜨인 눈에 하나 차는 영창
달이 이제 밀물처럼 밀려오다.

미욱한 잠과 베개를 벗어나
부르는 이 없이 불려 나가다.
*

한밤에 홀로 보는 나의 마당은
호수같이 둥긋이 차고 넘치노라.

쪼그리고 앉은 한옆에 흰 돌도
이마가 유달리 함초롬 고와라.

연연턴 녹음, 수묵색으로 짙은데
한창 때 곤한 잠인 양 숨소리 설키도다.

비둘기는 무엇이 궁거워 구구 우느뇨,
오동나무 꽃이야 못 견디게 향기롭다.

신생, 1932. 6.

절정

석벽石壁에는
주사朱砂가 찍혀 있오.
이슬 같은 물이 흐르오.
나래 붉은 새가
위태한데 앉아 따먹으오.
산포도山葡萄 순이 지나갔소.
향그런 꽃뱀이
고원 꿈에 옴치고 있소.
거대한 죽엄 같은 장엄한 이마,
기후조氣候鳥가 첫 번 돌아오는 곳,
상현달이 사라지는 곳,
쌍무지개 다리 디디는 곳,
아래서 볼 때 오리온 성좌와 키가 나란하오.
나는 이제 상상봉上上峯에 섰오.
별만한 흰꽃이 하늘대오.
민들레 같은 두다리 간조롱해지오.
해 솟아오르는 동해 ―
바람에 향하는 먼 기폭처럼
뺨에 나부끼오.

학생, 1930.10.

풍랑몽風浪夢 1

당신께서 오신다니
당신은 어찌나 오시렵니까.

끝없는 울음 바다를 안으올 때
포도빛 밤이 밀려오듯이,
그 모양으로 오시렵니까.

당신께서 오신다니
당신은 어찌나 오시렵니까.

물 건너 외딴 섬, 은회색 거인이
바람 사나운 날, 덮쳐오듯이,
그 모양으로 오시렵니까.

당신께서 오신다니
당신은 어찌나 오시렵니까.

창밖에는 참새 떼 눈초리 무거웁고
창 안에는 시름 겨워 턱을 고일 때,
은고리 같은 새벽달
부끄럼성스런 낯가림을 벗듯이,
그 모양으로 오시렵니까.

외로운 졸음, 풍랑에 어리울때
앞 포구에는 궂은 비 자욱이 둘리고
행선行船 배 북이 웁니다, 북이 웁니다.

조선지광, 1927.7.

어찌나 : 어떤 방법으로

풍랑몽風浪夢 2

바람은 이렇게 몹시도 부웁는데
저 달 영원의 등화!
꺼질 법도 아니하옵거니,
엊저녁 풍랑 위에 님 실려 보내고
아닌 밤 중 무서운 꿈에 소스라쳐 깨옵니다.

시문학, 1931.10.

말 1

청대나무 뿌리를 우여어차! 잡아 뽑다가 궁둥이를 찧었네.

짠 조수 물에 흠뻑 불리어 휙휙 내두르니 보랏빛으로 피어오른 하늘이 만만하게 비여진다.

채찍에서 바다가 운다.

바다 위에 갈매기가 흩어진다.

오동나무 그늘에서 그리운 양 졸리운 양한 내 형제 말님을 찾아갔지.

「형제여, 좋은 아침이오.」

말님 눈동자에 엊저녁 초사흘 달이 하릿하게 돌아간다.

「형제여 뺨을 돌려 대소, 왕왕.」

말님의 하이얀 이빨에 바다가 시리다.

푸른 물 들 듯한 언덕에 햇살이 자개처럼 반짝거린다.

「형제여, 날씨가 이리 휘영청 개인 날은 사랑이 부질없어라.」

바다가 치마폭 잔주름을 잡아온다.
「형제여, 내가 부끄러운 데를 싸매었으니
그대는 코를 풀어라.」

구름이 대리석 빛으로 퍼져나간다.
채찍이 번뜻 배암을 그린다.
「오호! 호! 호! 호! 호! 호! 호!」

말님의 앞발이 뒷발이오 뒷발이 앞발이라.
바다가 네 귀로 돈다.
쉿! 쉿! 쉿!
말님의 발이 여덟이오 열여섯이라.
바다가 이리 떼처럼 짖으며 온다.
쉿! 쉿! 쉿!
어깨 위로 넘어 닿는 마파람이 휘파람을 불고
물에서 물에서 팔월이 퍼덕인다.

「형제여, 오오, 이 꼬리 긴 영웅이야!」
날씨가 이리 휘영청 개인 날은 곱슬머리가 자랑스
럽소라!

조선지광, 1927.9.

말 2

까치가 앞서 날고
말이 따라가고,
바람 소올소올, 물소리 쫄 쫄 쫄,
유월 하늘이 둥그라하다, 앞에는 퍼언한 벌,
아아, 사방이 우리나라로구나.
아아, 웃통 벗기 좋다, 휘파람 불기 좋다, 채찍이 돈
다, 돈다, 돈다, 돈다.
말아,
누가 났나? 늬를. 늬는 몰라.
말아,
누가 났나? 나를. 내도 몰라.
너는 시골 두메에서
사람스런 숨소리를 숨기고 살고
내사 대처 한복판에서
말스런 숨소리를 숨기고 다 자랐다.
시골로나 대처로나 가나 오나
양친 못 보아 서럽더라.

말아,

메아리 소리 쩌르렁! 하게 울어라,

슬픈 놋방울 소리 맞춰 내 한마디 하려니.

해는 하늘 한복판, 금빛 해바라기가 돌아가고,

파랑콩 꽃다리 하늘대는 두둑 위로

머언 흰 바다가 치어드네.

말아,

가자, 가자니, 고대古代와 같은 나그넷길 떠나가자.

말은 간다.

까치가 따라온다.

정지용 시집, 1935.10.

바다 1

오.오.오.오.오. 소리치며 달려가니
오.오.오.오.오. 연달아서 몰아온다.

간 밤에 잠 살포시
머언 뇌성이 울더니,

오늘 아침 바다는
포도빛으로 부풀어졌다.

철석, 처얼석, 철석, 처얼썩, 철썩,
제비 날어들 듯 물결 새이새이로 춤을 추어.

조선지광, 1927.2.

새이새이 : 사이사이

바다 2

한 백 년 진흙 속에
숨었다 나온 듯이,

게처럼 옆으로
기어가 보노니,

머언 푸른 하늘 아래로
조개 없는 모래 밭.

조서지광, 1927.2.

바다 3

외로운 마음이
한종일 두고

바다를 불러 —

바다 위로
밤이
걸어온다.

조선지광, 1927.2.

바다 4

후줄근한 물결 소리 등에 지고 홀로 돌아가노니
어디선지 그 누구 쓰러져 울음 우는 듯한 기척,

돌아서서 보니 먼 등대가 반짝반짝 깜박이고
갈매기 떼 끼룩룩끼룩룩 비를 부르며 날아간다.

울음 우는 이는 등대도 아니고 갈매기도 아니고
어딘지 홀로 떨어진 이름 모를 서러움이 하나.

조선지광, 1927.2.

바다 5

바둑 돌 은
내 손아귀에 만져지는 것이
퍽은 좋은가 보아.

그러나 나는
푸른 바다 한복판에 던졌지.

바둑돌은
바다로 각구로 떨어지는 것이
퍽은 신기한가 보아.

당신 도 인제는
나를 그만만 만지시고,
귀를 들어 팽개치십시요.

나 라는 나도
바다로 거꾸로 떨어지는 것이,

퍽은 시원해요.

바둑 돌의 마음과
이 내 심사는
아아무도 모르지라요.

조선지광, 1927.3.

각구로 : 거꾸로

갈매기

돌아다보아야 언덕 하나 없다, 솔나무 하나 떠는 풀 잎 하나 없다.

해는 하늘 한복판에 백금 도가니처럼 끓고, 똥그란 바다는 이제 팽이처럼 돌아간다. 갈매기야, 갈매기야, 늬는 고양이 소리를 하는구나.

고양이가 이런 데 살 리야 있나, 늬는 어디서 났니? 목이야 회기도 회다, 나래도 회다, 발톱이 깨끗하다, 뛰는 고기를 문다.

흰 물결이 치여들 때 푸른 물굽이가 내려앉을 때,

갈매기야, 갈매기야, 아는 듯 모르는 듯 늬는 생겨 났지,

내사 검은 밤비가 섬돌 위에 울 때 호롱불 앞에 났 다더라.

내사 어머니도 있다, 아버지도 있다, 그이들은 머리 가 회시다.

나는 허리가 가는 청년이라, 내 홀로 사모한 이도 있 다, 대추나무 꽃피는 동네다 두고 왔단다.

갈매기야, 갈매기야, 늬는 목으로 물결을 감는다, 발톱으로 민다.

물속을 든다, 솟는다, 떠돈다, 모로 난다.

늬는 쌀을 아니 먹어도 사나? 내 손이사 짓부풀어졌다.

수평선 위에 구름이 이상하다, 돛폭에 바람이 이상하다.

팔뚝을 끼고 눈을 감았다, 바다의 외로움이 검은 넥타이처럼 만져진다.

조선지광, 1928.9.

111

해바라기 씨

해바라기 씨를 심자.
담 모롱이 참새 눈 숨기고
해바라기 씨를 심자.

누나가 손으로 다지고 나면
바둑이가 앞발로 다지고
괭이가 꼬리로 다진다.

우리가 눈 감고 한밤 자고 나면
이슬이 나려와 같이 자고 가고,

우리가 이웃에 간 동안에
햇빛이 입맞추고 가고,

해바라기는 첫 색시인데
사흘이 지나도 부끄러워
고개를 아니 든다.

가만히 엿보러 왔다가
소리를 꽥! 지르고 간 놈이 –
오오, 사철나무 잎에 숨은
청개구리 고놈이다.

신소년, 1927.6.

모롱이 : 산모퉁이

지는 해

우리 오빠 가신 곳은
해님 지는 서해 건너
멀리 멀리 가셨다네.
웬일인가 저 하늘이
핏빛 보담 무섭구나!
난리 났나. 불이 났나.

학조, 1926.6.

띠

하늘 위에 사는 사람
머리에다 띠를 띠고,

이 땅 위에 사는 사람
허리에다 띠를 띠고,

땅속 나라 사는 사람
발목에다 띠를 띠네.

학조, 1926. 6.

산 너머 저쪽

산 너머 저쪽에는
누가 사나?

뻐꾸기 영 위에서
한나절 울음 운다.

산 너머 저쪽에는
누가 사나?

철나무 치는 소리만
서로 맞어 쩌 르 렁!

산 너머 저쪽에는
누가 사나?

늘 오던 바늘 장수도
이 봄 들며 아니 뵈네.

신소년, 1927.5.

홍시

어저께도 홍시 하나.
오늘에도 홍시 하나.

까마귀야. 까마귀야.
우리 남게 왜 앉았나.

우리 오빠 오시걸랑.
맛 뵐라구 남겨뒀다.

후락 딱 딱
휘이 휘이!

학조, 1926.6.

무서운 시계

오빠가 가시고 난 방안에
숯불이 박꽃처럼 사위어간다.

산모루 돌아가는 차, 목이 쉬어
이 밤사 말고 비가 오시려나?

망토 자락을 녀미며 녀미며
검은 유리만 내여다 보시겠지!

오빠가 가시고 나신 방안에
시계소리 서마 서마 무서워.

문예월간, 1932.1.

녀미며 : 여미며
산모루 : 산모퉁이 휘어들어간 곳

삼월 삼진날

중, 중, 때때 중,
우리 애기 까까머리.

삼월 삼진날,
질나라비, 훨, 훨,
제비 새끼, 훨, 훨,

쑥 뜯어다가
개피떡 만들어.
호, 호, 잠들여 놓고
냠, 냠, 잘도 먹었다.

중, 중, 때때 중,
우리 애기 상제로 사갑소.

학조, 1926.6.

딸레

딸레와 쬐그만 아주머니,
앵두나무 밑에서
우리는 늘 셋 동무.

딸레는 잘못하다
눈이 멀어 나갔네.

눈먼 딸레 찾으러 갔다 오니,
쬐그만 아주머니마저
누가 데려갔네.

방을 혼자 흔들다
나는 싫여 울었다.

학조, 1926.6.

산소

서낭산골 시오리 뒤로 두고

어린 누이 산소를 묻고 왔오.

해마다 봄바람 불어오면,

나들이 간 집새 찾아가라고

남먼히 피는 꽃을 심고 왔소.

신소년, 1927.3.

남먼히 : 남 먼저, 먼히는 먼저라는 뜻으로 정지용 고향인 옥천 방언

종달새

삼동내ㅡ 얼었다 나온 나를
종달새 지리 지리 지리리……

왜 저리 놀려대누.

어머니 없이 자란 나를
종달새 지리 지리 지리리……

왜 저리 놀려대누.

해 바른 봄날 한종일 두고
모래톱에서 나홀로 놀자.

신소년, 1927.3.

병

부엉이 울던 밤
누나의 이야기 –

파랑 병을 깨치면
금시 파랑 바다.

빨강 병을 깨치면
금시 빨강 바다.

뻐꾸기 울던 날
누나 시집 갔네 –

파랑 병을 깨트려
하늘 혼자 보고.

빨강 병을 깨트려
하늘 혼자 보고.

학조, 1926.6.

할아버지

할아버지가
담뱃대를 물고
들에 나가시니,
궂은 날도
곱게 개이고,

할아버지가
도롱이를 입고
들에 나가시니,
가문 날도
비가 오시네.

신소년, 1927.5.

말

말아, 다락 같은 말아,
너는 점잖도 하다마는
너는 왜 그리 슬퍼 뵈니?
말아, 사람 편인 말아,
검정콩 푸렁콩을 주마.

　　*

이말은 누가 난 줄도 모르고
밤이면 먼데 달을 보며 잔다.

조선지광, 1927.7.

푸렁콩 : 푸른콩

산에서 온 새

새삼나무 싹이 튼 담 위에
산에서 온 새가 울음 운다.

산엣 새는 파랑 치마 입고.
산엣 새는 빨강 모자 쓰고.

눈에 아름 아름 보고 지고.
발 벗고 간 누이 보고 지고.

따순 봄날 이른 아침부터
산에서 온 새가 울음 운다.

어린이, 1926.11.

바람

바람.
바람.
바람.

늬는 내 귀가 좋으냐?
늬는 내 코가 좋으냐?
늬는 내 손이 좋으냐?

내사 온통 빨개졌네.

내사 아무치도 않다.

호 호 추워라 구보로!

조선동요선집, 1928.

별똥

별똥 떨어진 곳,

마음에 두었다

다음날 가보려,

벼르다 벼르다

인젠 다 자랐소.

학생, 1930.10.

기차 汽車

할머니
무엇이 그리 서러워 우시나?
울며 울며
녹아도鹿兒島로 간다.

해여진 왜포 수건에
눈물이 함촉,
영! 눈에 어른거려
기대도 기대도
내 잠 못 들겠소.

내도 이가 아파서
고향 찾아가오.

배추꽃 노란 사월 바람을
기차는 간다고
악 물며 악물며 달린다.

동방평론, 1932.7.

고향

고향에 고향에 돌아와도
그리던 고향은 아니러뇨.

산꿩이 알을 품고
뻐꾸기 제철에 울건만,

마음은 제 고향 지니지 않고
머언 항구로 떠도는 구름.

오늘도 메 끝에 홀로 오르니
흰 점 꽃이 인정스레 웃고,

어린 시절에 불던 풀피리 소리 아니 나고
메마른 입술에 쓰디쓰다.

고향에 고향에 돌아와도
그리던 하늘만이 높푸르구나.

동방평론, 1932.7.

산엣 색시 들녁 사내

산엣 새는 산으로,
들녁 새는 들로.
산엣 색시 잡으러
산에 가세.

작은 재를 넘어 서서,
큰 봉엘 올라 서서,

「호-이」
「호-이」

산엣 색시 날래기가
표범 같다.

치달려 달어나는
산엣 색시,
활을 쏘아 잡었습나?

아아니다,
들녘 사내 잡은 손은
차마 못 놓더라.

산엣 색시
들녘 쌀을 먹였더니
산엣 말을 잊었습데.

들녘 마당에
밤이 들어.

활 활 타오르는 화롯불 너머
너머 보면

들녘 사내 선웃음 소리
산엣 색시
얼굴 와락 붉었더라.

문예시대, 1926.11.

내 맘에 맞는 이

당신은 내 맘에 꼭 맞는 이.
잘난 남보다 조그만치만
어리둥절 어리석은 척
옛사람처럼 사람좋게 웃어 좀 보시요.
이리 좀 돌고 저리 좀 돌아 보시요.
코 쥐고 뺑뺑이 치다 절 한 번만 합쇼.

호. 호. 호. 호. 내 맘에 꼭 맞는 이.

큰 말 타신 당신이
쌍무지개 홍예문 틀어세운 벌로
내달리시면

나는 산날맹이 잔디밭에 앉아
기(口슈)를 부르지요.

「앞으로―가. 요.」

「뒤로-가. 요.」

키는 후리후리. 어깨는 산고개 같어요.
호.호.호.호. 내 맘에 맞는 이.

조선지광, 1927.2.

날맹이 : 산봉우리 사투리
기 : 구령

무어래요

한길로만 오시다
한고개 너머 우리집.
앞문으로 오시지는 말고
뒷동산 사잇길로 오십쇼.
늦은 봄날
복사꽃 연분홍 이슬비가 나리시거든
뒷동산 사잇길로 오십쇼.
바람 피해 오시는 이처럼 들르시면
누가 무어래요?

조선지광, 1927.2.

무어래요 : 뭐래요

숨기 내기

날 눈 감기고 숨으십쇼.
잣나무 알암나무 안고 돌으시면
나는 샅샅이 찾아보지요.

숨기 내기 해종일 하며는
나는 서러워진답니다.

서러워지기 전에
파랑새 사냥을 가지요.

떠나온 지 오랜 시골 다시 찾아
파랑새 사냥을 가지요.

조선지광, 1927. 2.

알암나무 : 아람나무, 열매가 떨어지기 직전의 나무

비둘기

저 어느 새 떼가 저렇게 날아오나?
저 어느 새 떼가 저렇게 날아오나?

사월달 햇살이
물결 치듯 하네.

하늘바라기 하늘만 쳐다보다가
하마 자칫 잊을 뻔했던
사랑, 사랑이

비둘기 타고 오네요.
비둘기 타고 오네요.

조선지광, 1927.2.

IV

불사조

비애! 너는 모양할 수도 없도다.
너는 나의 가장 안에서 살았도다.

너는 박힌 화살, 날지않는 새,
나는 너의 슬픈 울음과 아픈 몸짓을 지니노라.

너를 돌려보낼 아모 이웃도 찾지 못하였노라.
은밀히 이르노니— '행복'이 너를 아주 싫어하더라.

너는 짐짓 나의 심장을 차지하였더뇨?
비애! 오오 나의 신부! 너를 위하여 나의 창과 웃음
을 닫았노라.

이제 나의 청춘이 다한 어느날 너는 죽었도다.
그러나 너를 묻은 아모 석문石門도 보지 못하였노라.

스스로 불탄 자리에서 나래를 펴는
오오 비애! 너의 불사조 나의 눈물이여!

가톨릭청년, 1934.3.

나무

얼굴이 바로 푸른 하늘을 우러렀기에
발이 항시 검은 흙을 향하는 건 욕되지 않도다.

곡식 알이 거꾸로 떨어져도 싹은 반듯이 위로!
어느 모양으로 심기어졌더뇨? 이상스런 나무 나의
몸이여!

오오 알맞은 위치! 좋은 위아래!
아담의 슬픈 유산도 그대로 받았노라.

나의 적은 연륜으로 이스라엘의 이천년을 헤였노라.
나의 존재는 우주의 한낱 초조한 오점이었도다.

목마른 사슴이 샘을 찾어 입을 잠그듯이
이제 그리스도의 못 박히신 발의 성혈聖血에 이마
를 적시며ー

오오! 신약의 태양을 한아름 안다.

가톨릭청년, 1934.3.

은혜

회한도 또한
거룩한 은혜.

깁실인 듯 가는 봄볕이
골에 굳은 얼음을 쪼개고,

바늘같이 쓰라림에
솟아 동그는 눈물!

귀밑에 아른거리는
요염한 지옥불을 끄다.

간곡한 한숨이 뉘게로 사모치느뇨?
질식한 영혼에 다시 사랑이 이슬 나리도다.

회한에 나의 해골을 잠그고저.
아아 아프고저!

별, 1932. 8.

깁실 : 견사라고도 불린다, 누에꼬치에 컨 실

별

누워서 보는 별 하나는
진정 멀—고나.

아스름 닫히려는 눈초리와
금실로 이은 듯 가깝기도 하고,

잠 살포시 깨인 한밤엔
창유리에 붙어서 엿보노라.

불현 듯, 솟아나 듯,
불리울 듯, 맞아들일 듯,

문득, 영혼 안에 외로운 불이
바람처럼 이는 회한에 피여오른다.

흰 자리옷 채로 일어나
가슴 위에 손을 여미다.

가톨릭청년, 1933. 9.

아스름 : 아슴프레하다의 북한어

임종

나의 임종하는 밤은
귀뚜라미 하나도 울지 말라.

나중 죄를 들으신 신부神父는
거룩한 산파처럼 나의 영혼을 가르시라.

성모취결례聖母就潔禮 미사때 쓰고 남은 황촉불!

담머리에 숙인 해바라기꽃과 함께
다른 세상의 태양을 사모하여 돌라.

영원한 나그넷길 노자로 오시는
성주 예수의 쓰신 원광!
나의 영혼에 칠색七色의 무지개를 심으시라.

나의 평생이오 나중인 괴로움!
사랑의 백금 도가니에 불이 되라.

달고 달으신 성모의 이름 부르기에
나의 입술을 타게 하라.

가톨릭청년, 1933.9.

갈릴리아 바다

나의 가슴은
조그만 「갈릴리아 바다」.

때 없이 설레는 파도는
미美한 풍경을 이룰 수 없도다.

예전에 문제들은
잠자시는 주를 깨웠도다.

주를 다만 깨움으로
그들의 신덕은 복되도다.

돛폭은 다시 펴고
키는 방향을 찾었도다.

오늘도 나의 조그만 '갈릴리아'에서
주는 짐짓 잠자신 줄을ㅡ.

바람과 바다가 잠잠한 후에야
나의 탄식은 깨달었도다.

가톨릭청년, 1933. 9.

갈릴리아 : 이스라엘 북부 지방. 갈릴리아 나사렛은 예수의 고향으로 알려졌다

그의 반

내 무엇이라 이름하리 그를?
나의 영혼 안의 고운 불,
공손한 이마에 비추는 달,
나의 눈보다 값진 이,
바다에서 솟아올라 나래 떠는 금성,
쪽빛 하늘에 흰 꽃을 달은 고산식물,
나의 가지에 머물지 않고
나의 나라에서도 멀다.
홀로 어여삐 스스로 한가로워―항상 머언 이,
나는 사랑을 모르노라 오로지 수그릴 뿐.
때 없이 가슴에 두 손이 여미어지며
구비 구비 돌아나간 시름의 황혼길 위―
나― 바다 이편에 남긴
그의 반 임을 고이 지니고 걷노라.

시문학, 1931.10.

다른 하늘

그의 모습이 눈에 보이지 않았으나
그의 안에서 나의 호흡이 절로 달도다.

물과 성신聖神으로 다시 낳은 이후
나의 날은 날로 새로운 태양이로세!

뭇사람과 소란한 세대에서
그가 다만 내게 하신 일을 지니리라!

미리 가지지 않았던 세상이어니
이제 새삼 기다리지 않으련다.

영혼은 불과 사랑으로! 육신은 한낱 괴로움.
보이는 하늘은 나의 무덤을 덮을 뿐.

그의 옷자락이 나의 오관五官에 사모치지 않았으나
그의 그늘로 나의 다른 하늘을 삼으리라.

가톨릭청년, 1934.2.

오관五官 : 다섯가지 감각 기관, 눈, 코, 혀, 귀, 피부

이 시에서 하늘은 종교적 의미로 해석되기도 한다. 오관五官은 사전적 의미로 몸의 다섯가지 감각 기관을 의미하지만 백여년 전에는 종교적 의미로도 쓰인 단어였다. 오관五款은 천도교에서 교인의 다섯가지 수행 방법으로도 읽혀서 중의적으로 해석될 수도 있다.

또 하나 다른 태양

온 고을이 받들만 한
장미 한 가지가 솟아난다 하기로
그래도 나는 고와 아니하련다.

나는 나의 나이와 별과 바람에도 피로하다.

이제 태양을 금시 잃어버린다 하기로
그래도 그리 놀라울리 없다.

실상 나는 또 하나 다른 태양으로 살었다.

사랑을 위하여 입맛도 잃는다.
외로운 사슴처럼 벙어리 되어 산길에 설지라도—

오오, 나의 행복은 나의 성모마리아!

가톨릭청년, 1934. 2.

V

밤

　우리 서재書齋에는 좀 고전스런 양장책이 있을만치 보다는 더 많이 있다고 — 그렇게 여기시기를.

　그리고 키를 꼭꼭 맞춰 줄을 지어 엄숙하게 들어 끼어 있어 누구든지 꺼내 보기에 조심스런 손을 몇 번씩 들여다보도록 서재의 품위를 유지합니다. 값진 도기陶器는 꼭 음식을 담아야 하나요? 마찬가지로 귀한 책은 몸에 병을 지니듯이 암기하고 있어야 할 이유도 없습니다. 성서와 함께 멀리 떼어놓고 생각만 하여도 좋고 엷은 황혼이 차차 짙어갈 때 서적의 밀집부대密集部隊 앞에 등을 향하고 고요히 앉았기만 함도 교양의 심각한 표정이 됩니다. 나는 나대로 좋은 생각을 마주 대할 때 페이지 속에 문자는 문자끼리 좋은 이야기를 잇어 나가게 합니다.

　숨은 별빛이 얼키설키 듯이 빛나는 문자끼리의 이야기…… 이 귀중한 인간의 유산을 금자金字로 표장表裝하여야 합니다.

　레오 톨스토이가(그 사람 말을 잡아 피를 마신 사

람!) 주름살 잡힌 인생관을 페이지 속에서 설교하거든 그러한 책은 잡초를 뽑아내 듯 합니다.

책이 뽑혀 나온 부인 곳 그러한 곳은 그렇게 적막한 공동空洞이 아닙니다. 가여운 계절의 다변자多辯者 귀 뚜라미 한마리가 밤샐 자리로 줘도 좋습니다.

우리의 교양에도 가끔 이러한 문자가 뽑혀 나간 공 동空洞안의 부인 하늘이 열려야 합니다.

*

어느 겨를에 밤이 함폭 들어와 차지하고 있습니다. 「밤이 온다」─이러한 우리가 거리에서 쓰는 말로 이 를지면 밤은 반드시 딴 곳에서 오는 손님이외다. 겸허 한 그는 우리의 앉은 자리를 조금도 다치지 않고 소란 치 않고 거룩한 신부의 옷자락 소리 없는 걸음으로 옵 니다. 그러나 큰 독에 물과 같이 충실히 차고 넘칩니 다. 그러나 어쩐지 적막한 손님이외다. 이야말로 거 대한 문자가 뽑히어 나간 공동에 임하는 상장喪章이 외다.

나의 걸음을 따르는 그림자를 볼 때 나의 비극을 생

각합니다. 가늘고 긴 희랍적 슬픈 모가지에 팔구비를 감어 봅니다. 밤은 지구를 딸으는 비극이외다. 이 청발淸潑하고 무한無限한 밤의 모가지는 어디 쯤 되는지 아무도 안을 본 이가 없습니다.

비극은 반드시 울어야 하지 않고 사연하거나 흐느껴야 하는 것이 아닙니다. 실로 비극은 묵黙합니다.

그러므로 밤은 울기 전의 울음의 향수鄕愁요 움직이기 전의 몸짓의 삼림森林이오. 입술을 열기 전 말의 풍부한 곳집이외다.

나는 나의 서재에서 이 묵극黙劇을 감격하기에 조금도 괴롭지 않습니다. 검은 잎새 밑에 오롯이 눌리기만 하면 그만임으로. 나의 영혼의 윤곽이 올빼미 눈자위처럼 뚱그래질 때입니다. 나무 끝 보금자리에 안긴 독수리의 흰 알도 무한한 명일明日을 향하여 신비로운 생명을 움치며 돌리며 합니다.

설령 반가운 그대의 붉은 손이 이 서재에 조화로운 고풍스런 램프 불을 보름달만하게 안고 골방에서 옮겨올 때에도 밤은 그대 불의不意의 틈입자闖入者에게 조금도 당황하지 않습니다. 남과 사괼성이 찬란한 방의 성격은 순간에 화원과 같은 얼굴을 바로 돌립니다.

람프

램프에 불을 밝혀 오시오 어쩐지 램프에 불을 보고
싶은 밤이외다.

하이한 갓이 연蓮잎처럼 알로 수그러지고 다칠세 —
끼어 세운 등피하며 가지가지 만듦새가 모다 지금은
고풍스럽게된 람프는 걸려 있는 이보다 앉힌 모양이
좋습니다.

람프는 두 손으로 받쳐 안고 오는 양이 아담 합니다.
그대 얼굴을 농담濃淡이 아주 강强한 옮겨오는 회화繪
畵로 감상할수 있음이외다. — 딴 말씀이오나 그대와
같은 미美한 성性의 얼굴에 순수한 회화를 재현再現함
도 그리스도교적 예술의 자유이외다.

그 흥칙하기가 송충이 같은 석유石油를 달아올려 종
이 빛 보다도 고운 불 피는 양이 누에가 푸른 뽕을 먹
어 고운 비단을 낳음과 같은 좋은 교훈이외다.

흔히 먼 산모루를 도는 밤 기적汽笛이 목이 쉴때 람
프불은 적은 무리를 들러 쓰기도 합니다. 가련한 코스
모스 위에 다음날 찬비가 뿌리리라고 합니다.

　마을에서 늦게 돌아올 때 람프는 수고롭지 아니한 고요한 정열과 같이 자리를 옮기지 않고 있읍데다.

　마을을 찾아나가는 까닭은 막연漠然한 향수에 끌려 나감이나 돌아올 때는 가벼운 탄식을 지고 오는 것이 나의 일지日誌이외다. 그러나 람프는 역시 누구 얼굴을 향한 정열이 아닌 것을 보았습니다.

　다만 힌조히 한 겹으로 이 큰 밤을 막고 있는 나의 보금자리에 람프는 매우 자신이 있는 얼굴이옵데다.

　전등은 불의 조화이외다. 적어도 등불의 원시적 정열을 잊어버린 가설架設이외다. 그는 위로 치오르는 불의 혀모상이 없습니다.

　그야 이 심야에 태양과 같이 밝은 기공技工이 이제로 나오겠지요. 그러나 삼림에서 찍어온 듯 싱싱한 불꽃이 아니면 나의 성정性情은 그다지 반가울 리 없습니다.

　성정이란 반드시 실용에만 기울어지는 것이 아닌 연고외다.

　그러므로 예전에 앗시시오. 성聖프란시스코는 위로 오르는 종달새나 알로 흐르는 물까지라도 자매로 불러 사랑하였으나 그 중에도 불의 자매를 더욱 사랑하였습니다. 그의 낡은 망토 자락에 옮겨붙은 불꽃을 그는 사양치 않았습니다. 비상非常히 사랑하는 사람의 표상表象인 불에게 흔한 뼈조각을 아끼기가 너무도 인색하다고 하였습니다.

이것은 성인의 행적行蹟이라기 보다 그리스도교적 Poesie의 출발이외다.

람프 그늘에서는 계절의 소란을 듣기가 좋습니다. 먼 우뢰와 같이 부서지는 바다며 별같이 소란한 귀뚜라미 울음이며 나무와 잎새가 떠는 계절의 전차가 달려옵니다.

창窓을 사납게 치는가 하면 저윽이 부르는 소리가 있습니다. 귀를 간조롱이하야 이 괴한 소리를 가리여 들으랍니다.

역시 부르는 소리외다. 람프불은 줄어지고 벽시계는 금시에 황당하게 중얼거립니다. 이상도하게 나의 몸은 마른 잎새 같이 가벼워집니다.

창을 넘어다보나 등불에 익은 눈은 어둠 속을 분별키 어렵습니다.

그러나 역시 부르는 소리외다.

램프를 줄이고 내려다보면 눈자위도 분별키 어려운 검은 손님이 서 있습니다.

"누구를 찾으십니까?"

만일 검은 망토를 두른 촉루燭髏가 서서 부르더라고 하면 그대는 이러한 불길한 이야기는 기피하시리다.

덧문을 굳이 닫으면서 나의 양식良識은 이렇게 해설하였습니다.

—죽음을 봤다는 것은 한 착각이다—

그러나 '죽음'이란 벌써부터 나의 청각聽覺 안에서 자라는 한 항구恒久한 흑점黑點이외다.

그리고 나의 반성의 정확正確한 위치에서 내려다보면 램프 그늘에 채곡 접혀 있는 나의 육체가 목이 심히 말러하며 기도祈禱라는 것이 반드시 정신적인 것 보다도 어떤 때는 순수純粹히 미각적味覺的 인수도 있어서 쓰디 쓰고도 달디단 이상한 입맛을 다십니다.

"천주의 성모마리아는 이제와 우리 죽을 때에 우리 죄인을 위하야 비르소서 아멘"

발跋

 천재 시인이 자기의 제작을 한번 지나가버린 길이
요 넘어간 책상같이 여겨 그것을 소중히 알고 애써 모
아두고 하지 않고 물 위에 떨어진 꽃잎인 듯 흘러가버
리는 대로 두고자 한다하면 그 또한 그럴듯한 심원心
願이리라. 그러나 범용凡庸 독자란 또한 있어 이것을
인색한 사람 구슬 갈 듯 하려하고 「다시 또 한 번」
을 찾아 그것이 영원한 화병에 새겨 머물러짐을 바라
기까지 한다.

 지용의 시가 처음 조선지광朝鮮之光(소화이년昭和
二年 二月 1927년 2월)에 발표된 뒤로 어느덧 십 년에
가까운 동안을 두고 여러 가지 간행물에 흩어져 나타
났던 작품들이 이 시집에 모아지게 된 것은 우리의 독
자적 심원이 이루어지는 기쁜 일이다. 단순히 이 기쁨
의 표백인 이 발문을 쓰는 가운데 내가 조금이라도 서
문스런 소리를 늘여놓을 일은 아니요 시는 제 스스로
할 말을 하고 갈 자리에 갈 것이지마는 그의 시적 발
전을 살피는데 다소의 연대 관계와 부별의 설명이 없

지 못할 것이다.

제2부에 수합收合된 것은 초기 시편들이다. 이 시기는 그가 눈물을 구슬같이 알고 지어라도 내려는 듯하던 시류에 거슬려서 많은 많은 눈물을 가벼이 진실로 휘파람 불며 비눗방울 날리는 때이다.

제3부 요謠는 같은 시기의 부산副産으로 자연동요의 풍조를 그대로 띤 동요 류와 민요풍 시편들이오.

제1부는 그가 가톨릭으로 개종한 이후 촛불과 손, 유리창, 바다 1 등으로 비롯해서 제작된 시편들로 그 심화된 시경詩境과 타협 없는 감각은 초기의 제작이 손쉽게 친밀해질 수 있는 것과는 또다른 경지를 밟고 있다.

제4부는 그의 신앙과 직접 관련있는 시편들이요 제5부는 소묘라는 제목을 띠었던 산문 두 편이다.

그는 한군데 자안自安하는 시인이기 보다 새로운 시경의 개척자이려 한다. 그는 이미 사색과 감각의 오묘한 결합을 향해 발을 내디딘 듯이 보인다. 여기 모인 89편은 말할 것 없이 그의 제1시집인 것이다.

이 아름다운 시집에 이 졸猝한 발문을 붙임이 또한 아름다운 인연이라고 불려지기를 가만히 바라며—

박용철